O SENHOR, ENTÃO, PEDIU A NOÉ QUE CONSTRUÍSSE UMA GRANDE ARCA, POIS UMA FORTE TEMPESTADE CAIRIA SOBRE A TERRA. DEUS DEU A NOÉ TODAS AS ORIENTAÇÕES DE COMO CONSTRUIR A ARCA: O TAMANHO, OS MATERIAIS, A QUANTIDADE DE COMPARTIMENTOS...

NA ARCA, DEVERIAM ENTRAR NOÉ, SUA FAMÍLIA E UM CASAL DE CADA AVE DO CÉU, ANIMAL E RÉPTIL QUE VIVIAM NA TERRA. TAMBÉM SERIA NECESSÁRIO ESTOCAR MANTIMENTOS PARA ALIMENTAR TODOS OS QUE ESTARIAM DENTRO DA ARCA.

SETE DIAS DEPOIS QUE NOÉ ENTROU NA ARCA, DEUS FEZ CAIR A FORTE TEMPESTADE SOBRE A TERRA. CHOVEU POR QUARENTA DIAS E QUARENTA NOITES. A ARCA COMEÇOU A NAVEGAR SOBRE AS ÁGUAS, E TODOS OS ALTOS MONTES FORAM COBERTOS POR ELAS.

A CHUVA PAROU, E A ÁGUA FOI BAIXANDO AOS POUCOS. PARA SABER SE JÁ PODERIA SAIR DA ARCA, NOÉ SOLTOU UM CORVO, QUE LOGO VOLTOU, POIS NÃO HAVIA LUGAR PARA POUSAR. ENTÃO, AINDA HAVIA MUITA ÁGUA.

DEPOIS, NOÉ SOLTOU UMA POMBA, QUE VOLTOU PORQUE NÃO TINHA ONDE POUSAR. ELE ESPEROU MAIS SETE DIAS E SOLTOU NOVAMENTE A POMBA, QUE, DESSA VEZ, VOLTOU TRAZENDO UM RAMO DE OLIVEIRA NO BICO.

NOÉ ESPEROU MAIS SETE DIAS E SOLTOU OUTRA VEZ A POMBA, QUE NÃO RETORNOU. ASSIM, ELE SOUBE QUE JÁ HAVIA TERRA FIRME. ENTÃO, DEUS AVISOU A NOÉ QUE ELE E TODOS OS QUE ESTAVAM NA ARCA PODIAM SAIR.

O BOM HOMEM E SUA FAMÍLIA ESTAVAM MUITO GRATOS A DEUS, QUE FICOU FELIZ COM O AGRADECIMENTO DE NOÉ E PROMETEU NUNCA MAIS DESTRUIR A TERRA COM UM DILÚVIO.